Le Traité du transport amoureux

Patrick Wald Lasowski

Le Traité du transport amoureux

Projet graphique :
Pier Luigi Cerri.

Document de couverture : *La coquette physicienne*, gravure satirique
sur la mode féminine à l'époque des premières montgolfières, fin du
XVIIIᵉ siècle (détail). Bibliothèque nationale de France, Paris. Photo
© Collection Roger-Viollet.

En 1760 Casanova rencontre à Cologne Mme X, la femme du bourgmestre, maîtresse du général Kettler, dont il tombe amoureux… Sur les chemins du monde, les aventures viennent au séducteur comme les oiseaux dans la main de saint François. Mais les obstacles se multiplient. Ce n'est qu'après plusieurs jours qu'ils conviennent du moyen d'être seuls. Casanova se rend ce soir-là au théâtre en chaise à porteurs, Mme X offre de le raccompagner. « Ce ne sera que deux minutes : mais en attendant mieux, c'est quelque chose. » Les deux minutes sont bonnes à prendre. Casanova étouffe de joie. Tout s'accomplit à merveille, et l'on monte en voiture. « C'était un carrosse coupé. Nous fîmes ce que nous pûmes, mais presque rien. La lune était vis-à-vis de nous, et l'infâme cocher tournait de temps en temps la tête. J'ai trouvé cela horrible » (Histoire de ma vie, *vol. 6. chap. II*).

Un peu plus tard, les choses s'arrangent. La nature se plie au désir des amants. La lune est derrière eux. « Nous avons fait un peu mieux, mais mal, tout mal. Le coquin n'était jamais de sa vie allé si vite. »

Maudit cocher qui s'immisce dans le tête-à-tête et précipite les chevaux, quand le XVIII⁰ siècle tout entier s'applique à maîtriser l'art du transport.

Il est vrai que cela n'est pas toujours facile. « Transport » s'emploie pour désigner « le ravissement de saint Paul au troisième ciel », rappelle le *Dictionnaire de l'Académie* (1718).

C'est un mouvement violent qui manifeste la fureur dont l'âme est agitée. Le mot se dit au figuré des passions pour en marquer l'excès, la violence ou la vivacité. Les dictionnaires du temps citent les tragiques pour donner corps à leur définition.

Les vers tombent en cascade : « Songez-y bien : il faut désormais que mon cœur, / S'il n'aime avec transport, haïsse avec fureur »… « Puisque après tant d'efforts, ma résistance est vaine, / Je me livre en aveugle au transport qui m'entraîne »… « Je fis croire et je crus ma victoire certaine ; / Je pris tous mes transports pour des transports de haine »… Les rois du monde (leurs rivaux, leurs maîtresses, leurs confidents) se donnent tout entiers à cet emportement. « Dans toute leur noirceur retracez-moi ses crimes ; / Échauffez mes transports trop lents, trop retenus. » On n'est jamais assez, on n'est jamais trop transporté dans ce théâtre de sang, de douleur et de rage, à l'ombre d'un père, d'un mari, d'un amant ou d'un fils massacré.

Madame, où courez-vous? Quels aveugles transports
Vous font tenter sur vous de criminels efforts?

Où courez-vous, madame? Où courent-ils, ces héros furieux, ces torches vivantes, ces brasiers de vengeance et de haine? Chaque vers de Racine est un traité des sensations. Chacune de ses tragédies n'expose un personnage que pour «voir jusqu'où vont ses transports». L'alexandrin porte cette violence et lui donne toute sa mesure, échauffée, agitée, secouée dans l'espace du vers, endiguée par la rime qui retient in extremis les crocs luisants des chiens et leurs pattes dressées.

Jamais dramaturge ne sut mieux fixer l'emportement de la passion (auquel Mme de Lafayette donne la réplique à travers les transports amoureux de M. de Nemours). C'est qu'on appelle aussi «transport» la fureur poétique: Racine inspiré, excité, enthousiaste, qui fouette ses vers et bat la scène tragique pour en faire ce grand théâtre de l'hystérie.

Le mot transport expose et compromet. Il jette dans la fièvre, l'ébruite et l'entretient.

Andromaque est représentée pour la première fois dans l'appartement de la Reine par la troupe royale des Grands Comédiens du théâtre de Bourgogne le 17 novembre 1667. La pièce est éditée en janvier 1668 chez Théodore Girard. Racine a vingt-huit ans. Trente ans plus tard, en 1697, la dernière édition de ses œuvres publiée de son vivant paraît chez Claude Barbin. Le dramaturge y corrige ce que transport a d'excessif dans la bouche d'Oreste, qui prononce trois fois le mot dans sa tirade à Pylade. « Je me livre en aveugle au transport qui m'entraîne » devient « Je me livre en aveugle au destin qui m'entraîne ».

Transport est un mot qui brûle.

Si «la métaphore, selon Furetière, est un transport d'un mot propre à un sens figuré», le mot transport lui-même est-il métaphorique? C'est le rapport du propre au figuré qui fait problème, que toute la littérature romanesque du XVIIIe siècle s'applique à dérégler.

Déjà pour illustrer «se transporter» – qui se dit au figuré des passions –, Richelet cite un poète léger dont on aime les *Stances sur une dame, dont la jupe fut retroussée en versant dans un carrosse à la campagne* ou celles *Sur sa maîtresse rencontrée en habit de garçon, un soir de carnaval*, dont la vie au service de Gaston d'Orléans fut une suite de pérégrinations. En quelques mots, tout est brouillé. Deux vers suffisent à glisser la contradiction : «Dans l'amour qui me transporte, / J'irais chanter à votre porte.»

Ces vers sont de Voiture.

Combien de romans s'affichent au XVIIIᵉ siècle comme le roman du transport.

C'est dans sa fièvre et son exaltation que s'agite *La Nouvelle Héloïse* (1761-1763). Saint-Preux – toujours «ivre d'amour, affamé de transports» – se rend à «l'aveugle transport des cœurs passionnés». Le héros connaît «les transports effrénés d'une passion rendue furieuse par les obstacles». Le transport est sa subsistance. Il constitue l'élément hors duquel les amants ne sauraient vivre.

Transports dont ils ne sont pas les maîtres. Transports qui les portent à écrire. Transports qui les élèvent au-dessus d'eux-mêmes. Le mot leur vient à la bouche comme l'écume d'une passion folle. Il livre le secret des âmes et des corps, la rage qui les tient. Il échoue à exprimer l'amour (qui le pourrait?), mais entretient et communique un emportement qui n'a d'autre issue que le délire ou la mort. Rien ne peut amortir cette intensité. C'est le motif musical, le vibrato rythmique, l'état de convulsion du roman. «Il faut rester insensible, ou se laisser émouvoir outre mesure», écrit Saint-Preux. D'entrée Rousseau est dans l'outre mesure, et livre tout par surenchère. Cela n'arrête pas. De même que la musique italienne excite et peint le désordre des passions violentes, la lettre se donne comme un grand morceau d'expression. Bloc émotif. Transport total.

C'est que le transport se déclare et ne peut se décrire. Dès les premiers mots, Saint-Preux a basculé dans cet emballement permanent qui le fait piétiner dans sa chambre ou courir le monde. «Dans les violents transports qui m'agitent, je ne saurais demeurer en place; je cours, je monte avec ardeur, je m'élance sur les rochers, je parcours à grands pas tous les environs.» Le paysage dévore ses pas. Le transport est sans issue. Le roman avance comme un grand corps aveugle, magnifique et perdu, qui se heurte à lui-même.

Rousseau a pris pour lui le bonheur. Réfugié à l'Hermitage chez Mme d'Épinay, il écrit avec délices les lettres des amants. « Le retour du printemps avait redoublé mon tendre délire, et dans mes érotiques transports, j'avais composé pour les dernières parties de la *Julie* plusieurs lettres qui se sentent du ravissement dans lequel je les écrivis » (*Les Confessions*, livre neuvième). Déjà le solitaire a reçu en automne la première visite de Mme d'Houdetot. Cela commence comme un roman de Marivaux, qui finit chez Rétif. « Elle s'égara dans la route. Son cocher, quittant le chemin qui tournait, voulut traverser en droiture, du moulin de Clairvaux à l'Hermitage : son carrosse s'embourba dans le fond du vallon ; elle voulut descendre et faire le reste du trajet à pied. Sa mignonne chaussure fut bientôt percée ; elle enfonçait dans la crotte ; ses gens eurent toutes les peines du monde à la dégager, et enfin elle arriva à l'Hermitage en bottes, et perçant l'air d'éclats de rire, auxquels je mêlai les miens en la voyant arriver. »

Crottée, embourbée, dégagée, la voici qui revient avec les hirondelles, après avoir loué une maison à Eaubonne. « Ce fut de là qu'elle vint faire à l'Hermitage une nouvelle excursion. À ce voyage, elle était à cheval et en homme. Quoique je n'aime guère ces sortes de mascarades, je fus pris à l'air romanesque de celle-là et, pour cette fois, ce fut de l'amour. »

De l'automne au printemps, érotique ou lyrique, à cheval, en voiture, en bottes ou joliment chaussé, de

Julie à Mme d'Houdetot, qui ne le voit? ce qui assure le passage de la vie au roman, du roman à la vie, c'est le transport lui-même.

Saint-Preux a ses raisons pour condamner le chant français qui ressemble selon lui «au cri de la colique mieux qu'aux transports des passions». Il n'empêche.

Il ne faut pas négliger la colique dans l'écriture du roman.

À Avignon, en 1760, Casanova éprouve d'abord « une espèce de consternation » en découvrant les deux actrices avec lesquelles il s'est entendu pour passer la soirée. D'abord la Lepi, parfaite bossue, mais remplie de bonne volonté, excitant les désirs avec ses dents et ses beaux yeux. Puis l'Astrodi, laide, accommodée aux goûts antiphysiques de son amant en titre, mais disposée à tout, suppléant à ses défauts par la science du libertinage. Toutes les deux montrent l'esprit du métier. Gourmandes, vives dans la conversation, avides de plaisirs – telles que Casanova aime les femmes. Après le souper qu'elles dévorent comme des affamées, les voici en état de nature, prenant goût au premier acte pendant lequel la Lepi fait merveille, au point de surprendre le chevalier.

Il s'agit à présent de se renouveler. L'Astrodi réclame

pour elle Casanova, et cherche à occuper en même temps sa compagne :

« "Et toi, Lepi, donne la diligence à notre ami.

– Qu'est-ce que la diligence?"

J'ai dû interrompre l'affaire car je mourais de rire. Elle voulut à toute force lui apprendre ce manège, et j'ai dû y consentir» (vol. 7, chap. III).

Après mille folies, le vin de champagne, la promesse d'un second souper, dix louis offerts pour couronner le tout, Casanova raccompagne les belles : «Elles montèrent dans ma voiture qui les attendait, me donnant mille bénédictions.»

Adieu, chevalier, adio! Quand nous reverrons-nous? Quand ferons-nous une fois encore la diligence?

La science de l'amour n'a pas manqué le rapport du sexe et du transport. C'est à l'enseigne du héros de *La Messaline française* (1789), lorsqu'il entre en matière : « Bientôt, entraîné par mes transports, je me précipite sur elle. » Dans ses voyages découverts du plaisir, le libertin s'appuie sur la pratique pour ordonner ses désirs et enchaîner le transport en posture.

On trouve ainsi parmi les positions communes ou recherchées des Arts de foutre *la Chaise à porteur* (qu'on prendra soin de distinguer des *Porteurs de chaise*) ou *Faire le postillon*, qui consiste dans l'introduction du doigt dans l'anus (sachant qu'Audiger rappelle dans *La Maison réglée* en 1692 que « le devoir d'un postillon est de bien savoir conduire son devant [les chevaux de devant], d'avoir l'oreille bonne à ce que lui dit son cocher »).

La Rhétorique des putains ou la Fameuse Maquerelle, ouvrage imprimé de l'italien sur la copie imprimée à Rome, aux dépens du Saint-Père (1794), propose *la Voiture renversée* : «On met la chaise à quelque distance de la muraille; la femme s'y assied; l'homme lui prend les jambes et les élève sur ses bras : la chaise branle et le dossier va tomber contre la paroi. C'est la voiture renversée.» On trouve encore *Aller au petit trot* : «La femme est couchée, l'homme se soutient sur ses genoux et sur ses mains; il n'opprime pas, il ne gêne point sa maîtresse, et la frappe à coups lents pour prolonger leur plaisir mutuel. C'est aller au petit trot.»

Poste n'est pas en reste et broche sur le tout : «Dans le sens libre et de débauche de femme, ce mot signifie coup, décharge, injection, lorsque l'homme achève le plaisir qu'il prend avec une femme. Faire une poste. C'est, en termes de débauche, f... un coup», *Dictionnaire comique, satyrique, burlesque, libre et proverbial* de Le Roux (1718).

Mais aujourd'hui encore on se demande avec une vague inquiétude en quoi consiste au juste *la Diligence de Lyon*.

Parmi les nombreuses messageries qui couvrent les routes de France, la diligence de Lyon est « très commode et très hâtive ». Elle part tous les deux jours des deux endroits, et fait vingt lieues par jour en été. Il faut alors compter cinq jours pour se rendre d'une ville à l'autre, une journée de plus en hiver. On prend 100 livres par place de Lyon à Paris, et 120 dans l'autre sens (repas compris). Les relais sont établis toutes les quatre lieues. La diligence emporte huit personnes, suspendue sur des ressorts qui la rendent aussi confortable que berlines et chaises de poste. Le bureau de la messagerie est situé au port Saint-Paul, quai des Célestins. Le départ est fixé à quatre heures du matin.

On se rend de même à Lille par une diligence qui

fait le voyage tous les deux jours. Prix : 55 livres avec les repas, 48 sans.

Pour aller à Versailles, on peut choisir entre le coche (qui est tiré par quatre chevaux, contient seize personnes, part tous les jours à sept ou huit heures du matin suivant la saison, et deux heures l'après-midi), le carrosse à quatre personnes ou les chaises à deux passagers (qui partent à toute heure, suivant la demande). On prend ces voitures près du Pont-Royal, sur le quai d'Orsay. Dans tous les cas, le prix demandé ne comprend pas l'étrenne au cocher.

Dans Paris, on a compté à leur meilleure époque jusqu'à mille huit cents fiacres, mais le nombre ne cesse de diminuer au XVIIIe siècle par la multiplication des voitures particulières et le prix des fourrages. Dans les années 1750, le fiacre prend 20 sols par heure pour la première heure, 15 sols pour les heures suivantes, 19 sols pour une course à l'intérieur des barrières. Il faut rajouter 5 sols à ces tarifs dans les années 1775. Toutes les voitures sont marquées d'un numéro, d'une lettre de l'alphabet et d'un double P sur un cercle blanc, pour permettre la réclamation d'un objet perdu. Elles ont des places assignées où l'on est sûr de les trouver à toute heure du jour et de la nuit (par exemple place de Grève, au parvis Notre-Dame, place du Palais-Royal, rue du Bac, rue Feydeau, place aux Veaux ou rue de Richelieu, près de la bibliothèque).

On n'oubliera pas les coches d'eau qui se prennent principalement sur le quai de Saint-Paul ou sur celui de la Tournelle et mènent à Châlons, Nogent, Sens, Briare, Soissons, Auxerre, Corbeil, Villeneuve-Saint-Georges, Montereau ou Melun. Lorsque la cour est à Fontaine-bleau on dispose pour s'y rendre du *Coche royal de Fontainebleau* qui part à sept heures du matin. La *Galiote de Saint-Cloud* part à huit heures et conduit jusqu'au pont de Sèvres.

On peut solliciter à toute heure un batelier. Le tarif est plus élevé.

Prêtres, parents, politiques : les censeurs ont raison de mettre en garde contre les dangers de l'imagination. Le lecteur cède à ses charmes. La folle du logis sait ce qu'elle fait quand elle ouvre ses palais au pays des merveilles. S'il y a un partage d'imaginaires dans la lecture, si elle est bien l'opérateur d'une projection, c'est au moment exact où le héros est transporté que l'échange s'accomplit : « Bientôt, suivant les désirs de la fée, les objets les plus riants et les plus voluptueux s'offrirent à lui. Transporté dans un palais où tout ce qui peut étonner et charmer les regards se trouvait rassemblé, de fort belles houris vêtues le plus galamment, et le plus légèrement du monde, vinrent le recevoir » (*Ah, quel conte! conte politique et astronomique*, 1754). Le ciel s'ouvre. Le lecteur mord aux nuages. Bienvenue au paradis.

Il suffit d'une fée, le transport est assuré. D'un geste, la féerie affiche ce dont tout romancier est convaincu : l'imagination est la faculté transportante par excellence. Elle abouche (acoquine) le réel avec la pluralité des mondes. Elle ouvre le portail du sexe. Elle fait de Schézaddin l'autre nom du lecteur. « La fée, après avoir substitué aux images qu'elle venait d'offrir au prince ces fantômes vains et déréglés, que le sommeil nous présente ordinairement, transporta une seconde fois l'imagination de Schézaddin dans son palais. »

Crébillon en recrée à chaque instant le principe, enfant-fée ivre de son jouet. « Que de transports ! » Le démon de l'ironie a saisi le romancier, qui prodigue ses dons. L'âme d'Amanzéi se transporte de sopha en sopha. Schézaddin s'abandonne à tous les égarements : « La fée qui jusqu'à ce moment s'était contentée d'être spectatrice, ne put, sans se sentir vivement émue, voir les transports dans lesquels Schézaddin commençait à s'égarer. »

On verse alors dans un nouveau dilemme. Casuistique de l'amour. Jusqu'où le désir, jusqu'où le respect doivent-ils être portés ? Tantôt le héros s'abandonne trop vivement à son excitation ; tantôt on lui reproche d'employer « les protestations, où il n'aurait dû mettre en usage que les transports ». Schézaddin a tout à apprendre. La leçon est vite donnée. C'est celle que répètent à l'envi petits-maîtres et roués : en fait de transports, tout se réduit aux feux du désir.

Écrivain libertin, Crébillon s'entend à merveille pour démoraliser la langue du Grand Siècle. Pourquoi tant de détours ? « J'avais assurément de quoi louer ce qui s'offrait à mes yeux, mais je crus que des transports lui diraient mieux que des éloges, l'impression que j'en recevais, et je l'en accablai », confie Clitandre à Cidalise dans *La Nuit et le Moment, ou les Matines de Cythère* (1755). L'amour n'entre pour rien dans les transports que manifestent les amants. Amour-propre, éloquence, galanterie, regards tendres, éloges, déclarations, tout se résout dans la présence réelle du désir. « D'ailleurs les transports d'un amant sont la preuve la plus réelle qu'elles [les femmes] aient de ce qu'elles valent. » Un grand sexe tendu traverse ainsi l'œuvre de Crébillon. Il dépose en garantie. Il rend compte de tout. Acteur et témoin d'immoralité, il atteste qu'à travers l'amour (ou l'amour-propre), ce qui se cueille avant tout est la positivité du plaisir. « Soit caprice, soit vanité, la chose du monde qui lui plaît le plus, est d'inspirer des désirs ; elle jouit du moins des transports de son amant. »

La leçon de cynisme n'a rien pour nous surprendre. Clitandre est familier des aventures de carrosse – « de ces choses que l'on voit tous les jours, une misère enfin » – et son cocher a suffisamment d'usage pour adapter l'allure quand son maître raccompagne une femme. La malice de Crébillon est dans le jeu sur la langue, dans le glissement de ce grand continent de la langue classique que le romancier anéantit sur un lit de hasard. Passion ? – Si vous voulez. – Transport ? – Je ne dis que cela. – Civilité ? – Personne n'est plus poli que moi. – Ardeur ? – Voyez vous-même…

Sous les dehors de l'éloquence, mots et figures sont culbutés. La scène sexuelle sature les usages et les codes. Rien n'arrête cette extension continue du transport, dont Crébillon indique les progrès. « Clitandre, *se rapprochant d'elle avec transport* »… *Transports*, suivis de *nouveaux transports*. Ils constituent le battement du dialogue, au point de fusion du subtil (de la langue) et du solide (du désir).

Cidalise, quant à elle, garde la pose et ménage les trésors de rhétorique. Protestations amoureuses, passion en règle, déclarations outrées. La jeune femme connaît son rôle. « *En le baisant avec transport* : "Je ne t'aime pas ! Ah Dieu !" » Il s'agit de céder dans les formes, comme il

se doit, au moment nécessaire. «Eh bien! Sois content!
Jouis de toute ma tendresse et des transports que tu
m'inspires!»

À la bonne heure.

On est transporté d'amour, de colère, de rage, de joie, d'aise, d'impatience, de passion, de reconnaissance, de vanité, d'indignation, d'espérance, d'ivresse, de jalousie, de douleur, de fierté, de tendresse, de désespoir, de ravissement.

Les transports peuvent être aveugles, effrénés, belliqueux, fougueux, coupables, pieux, étourdis, tendres, charmants, violents, doux, vils, sacrés, subits, suspects, petits, inquiets, passagers, vifs, nobles, ardents, éternels.

À l'auberge, en juin 1763, Casanova est sur le chemin de Paris, qu'il compte gagner en quarante-huit heures. C'est alors qu'un marchand lui demande en grâce de les emmener, lui et sa fille. Il y va de sa survie. Toutes les places de la diligence sont prises. Il faudrait les lier sur l'impériale. Adèle aurait peur à mourir.

Casanova voyage en solitaire, il n'a qu'une chaise à une place. Mais, insiste Moreau, «le siège a beaucoup de fond, et vous tenant assis un peu plus en dedans, elle pourra très bien s'asseoir sur le même siège» (vol. 9, chap. V). La discussion s'engage. Adèle fond en larmes. Casanova se résigne et la joie éclaire le visage de la jeune fille. Allons, les mesures sont bientôt prises. «Je suis entré dans mon solitaire, Adèle se mit entre mes cuisses, Moreau se plaça derrière, Clairmont monta à cheval, et nous partîmes. »

Très vite, Adèle trouve ses aises. Mais à Bresse où l'on change les chevaux, Casanova découvre qu'elle porte des culottes noires, de celles qu'on met pour monter à cheval. Le chevalier y voit une offense, « un projet de défense » dont il se plaint. On en débat jusqu'à l'étape. La première nuit est à Roanne. Le lendemain, après le dîner à Varennes, Adèle s'endort sur la poitrine de Casanova, qui profite de son sommeil pour vérifier qu'elle ne porte plus ces culottes offensantes. La leçon a porté. Les deux compagnons de route deviennent familiers : « Je la tenais assise tantôt sur ma cuisse droite, tantôt sur ma gauche pour qu'elle pût me parler en me regardant. » La deuxième nuit est à Saint-Pierre, le souper les attend.

Il y a des pères bénis par tous les séducteurs. Moreau, qui doit se rendre à Nevers, laisse la compagnie livrée à elle-même. Le feu prend à l'instant du baiser de nuit. Casanova jette sa plume, quitte sa robe de chambre et tient Adèle rieuse entre ses bras, jusqu'au « sanglant sacrifice ». Au matin, la jeune fille soupire, sourit, « et nous voilà dans le solitaire tous les deux amoureux, contents, renouvelant nos transports, et désespérés que notre voyage ne soit pas plus long ».

La troisième nuit, plus délicieuse, est à Cosne. La quatrième à Fontainebleau. Plaisirs du solitaire. De relais en relais, les amants poursuivent leurs transports. Routes de France, traverses nocturnes, passages du désir. Le solitaire n'est pas fermé sur lui-même. Prodigue et jaillissant, généreux comme un vin de Champagne, Casanova véhicule le plaisir sur les chemins de l'Europe. Le solitaire compose un point fixe dans le grand tourbillon du monde. Des quarante-huit heures prévues aux nuits passées avec Adèle, le temps se renouvelle, la durée n'est plus la même, la terre tourne autrement. Tout est rejoué dans le temps inédit du transport.

Arrivé à Paris, avant de se séparer, Casanova, sans quitter sa chaise, offre une montre à la jeune fille au coin de la rue aux Ours.

L'*Histoire de Guillaume, cocher*, du comte de Caylus (1739) retrace les degrés d'une promotion sociale. Telles sont les étapes que franchit M. Guillaume, d'abord cocher de fiacre ; puis cocher de remise (qui permet à un particulier de louer à la journée, à la semaine, au mois ou à l'année une voiture stationnant à l'abri) ; cocher bourgeois au service d'un petit-maître dont il adopte « le trantran » ; enfin cocher particulier d'une bonne dame qu'il épouse. Guillaume s'établit. Il s'appartient. Mais l'ancien cocher se souvient de ceux qu'il a menés sur les pavés de Paris. Il prend la plume pour raconter le train du monde, lorsqu'il se fondait dans le paysage de la grande ville, spectateur privilégié pour autant que « les gens qui vont dans un fiacre, tout partout où ils veulent aller, ne prennent pas garde à lui ; ça fait qu'on ne se cache pas de certaines choses qu'on ne ferait pas devant le monde».

Parmi les tribulations qui l'ont mené «tantôt d'un côté, tantôt de l'autre», il faut s'arrêter sur celle du petit-maître qu'il conduit au faubourg Saint-Germain dîner avec ses amis. C'est qu'au milieu du souper, La Roche, son valet de chambre, avertit le chevalier Brillantin que son cocher l'attend dans la cour «avec son petit carrosse gris et ses chevaux de nuit». L'indicatif est merveilleux. Il donne le ton de la féerie.

Aussitôt il dit tout bas, que toute la table l'entendit, à un de ces messieurs, qu'il va à un rendez-vous, et qu'ils n'ont qu'à toujours se réjouir en l'attendant, parce qu'une petite heure fera son affaire.

Il monte en disant : «Au Marais, à toutes jambes!»

Et je le mène à l'ordinaire, grand train; mais il me fait arrêter au bout de la rue, pour me dire d'aller, au pas, à la place aux Veaux. Quand nous y sommes arrivés, il descend pour regarder de quel côté venait le vent. Moi, je ne savais pas ce que cela voulait dire : comme il vit qu'il ne ventait pas, il se mit à tamponner toute sa frisure, à se peigner avec ses doigts, en un mot à s'ébouriffer au mieux : après il se déboutonne, puis se reboutonne tout de travers; il déroule ses bas, chiffonne ses manchettes, ôte le bouton d'une, se met du rouge au bout du nez, arrache sa mouche du front, se marche sur les pieds, enfin, il se met comme en revenant du pillage.

Quand cette farce-là eut duré environ une demi-heure, il remonte et m'ordonne d'aller doucement jusqu'à cent pas de la maison où étaient ces messieurs, et d'entrer dans la cour à toute bride. Son laquais, La France, m'a dit qu'il était arrivé dans la chambre tout essoufflé, et qu'il avait dit à ses amis que ça n'avait pas été sans bien de la peine, comme il y paraissait, qu'il était venu à bout de la petite comtesse.

L'enchantement verse à la mascarade. On va, on vient, on ralentit, on accélère. Le cocher avance au pas, à toutes jambes, à toute bride. Si le vent fait défaut, si la femme est fiction, l'essoufflement du chevalier est bien réel. La fébrilité de Brillantin cherche à produire les effets supposés de l'acte sexuel et se trouve sexualisée dans l'agitation musicale du texte à travers le staccato, le piqué enfiévré de chacun de ses gestes.

L'allure du cocher mesure le temps qu'il faut pour entreprendre et posséder une comtesse. Le petit-maître peut se vanter d'avoir fait vite. Il aura – comme à l'accoutumée – mené grand train.

Il y a au XVIIIᵉ siècle des cochers moins heureux que Guillaume. Le Parlement multiplie les décisions de justice à l'encontre de ceux qui transportent des marchandises prohibées, livres interdits, articles de toutes sortes qui passent la douane ou sont véhiculés «nuitamment et sans congé». En avril 1755, le lieutenant de police Berryer déclare bonne et valable la saisie faite sur le nommé Bordelle, cocher d'Alençon, «de six lièvres, deux lapins et une poule, qui avait voulu passer à la barrière sans déclaration», et le taxe de trois cents livres d'amende.

Et voici condamnés, en janvier 1715, un cocher de place à cinquante livres d'amende et cinquante livres de dommages et intérêts envers Antoine Deschezeaux, maître chirurgien, pour l'avoir conduit dans son carrosse ailleurs qu'il n'en avait été requis; en septembre 1719, Pierre Henry, cocher de place, au carcan par trois différents jours de marché, pendant deux heures chaque fois, à la croix du Trahoir et à la porte de Bussy, et aussi par trois différents jours de marché, rue Saint-Martin, vis-à-vis de la rue aux Ours, avec écriteaux portant ces mots : «Cocher de place insolent et violent» ; en octobre 1726, Jacques Dumay, dit Picard, cocher de place, au bannissement après avoir été attaché au carcan avec écriteaux devant et derrière portant ces mots : «Cocher de place violent» ; en décembre 1748, le nommé Bulgrain, dit La Rivière, cocher de place, rue des Mauvais-Garçons, à soixante livres d'amende pour avoir retiré dans sa maison des filles de débauche; en juillet 1759, Charles Léon, apprenti cocher, à la marque et aux galères, pour avoir exposé en vente, et s'être trouvé saisi chez lui d'ardoises volées; en juillet 1763, Jean-Louis Gillet, cocher de place, au carcan et au bannissement pour trois ans, pour avoir retenu une tabatière d'écaille à gorge d'or, qu'on avait laissée par oubli dans son carrosse, et l'avoir, quoique réclamée, vendue à son profit; en décembre 1763, Armand Le Roux, cocher de place, au carcan, au fouet, à la marque et aux galères pendant trois ans, pour avoir volé deux chemises et un tablier sur des étendoirs de blanchisseuses; en février 1764,

Marie Dufresnoy et Marie-Simone Davesne, filles domestiques, et Louis Desnu, cocher bourgeois, à être pendus en place de Grève pour vol domestique; en juin 1766, Edme-Guillaume Lacaille, dit Bourguignon, cocher, à la marque et aux galères pendant cinq ans, pour avoir volé différents effets chez Chabert, marchand de chevaux, cour du Palais; en mars 1767, Nicolas-Joseph Pouille, dit d'Artois, cocher sans condition, à être pendu en place de Grève, pour vol avec effraction; en août 1768, François Lagogney, cocher de place, au carcan, au fouet, à la marque et au bannissement pendant trois ans, pour avoir volé un mouchoir sur les remparts, à la parade d'un joueur de gobelets; en février 1769, Jean Moyne, cocher de place, au carcan et au bannissement pendant trois ans, pour avoir par obstination estropié un particulier; en octobre 1772, Jacques Mancion, maître parfumeur à Paris, et le nommé Nortier, cocher de place, à cinquante livres d'amende, pour avoir transporté nuitamment sans autorisation quatre cents livres d'amidon dans un carrosse de place attelé de deux chevaux; en août 1776, Pierre Monget, cocher de place, au carcan, au fouet, à la marque et au bannissement pendant trois ans, pour avoir exposé en vente et s'être approprié quatre plats d'argent laissés par oubli dans le carrosse de place qu'il conduisait; en octobre 1776, Bernard Laguerre, gagne-deniers, Bernard Chameroy, dit Bien-Aimé, cocher de place, Germain-François Gollier, garçon jardinier, Charles Drouard, marinier, et Jean-Baptiste Guillain Dauderieux, garçon cordonnier, au fouet, à la marque et aux galères à perpétuité pour avoir exposé en vente des hardes volées avec effraction; en juin 1778, Jean-Baptiste Jerosme, cocher de place, à être pendu en place de Grève pour vol commis avec effraction dans une maison de Belleville.

La liste ne finit pas de ceux qui ont franchi le pas, dont l'existence verse tout à coup dans le fossé.

On distinguera particulièrement la condamnation du 25 juillet 1722 à «être rompu vif, préalablement appliqué à la question ordinaire et extraordinaire, pour avoir la révélation de ses complices, contre François Le Moyne, cocher de place, convaincu de nombre de vols dans Paris, dont un d'une cafetière d'argent en la boutique du nommé Beche limonadier, et de vols de nuit avec effraction, et notamment du vol de neuf pièces de draps aux Gobelins, complice de Louis Dominique Cartouche, Magdelaine Descroix, dit Tête de mouton, Didier Dutant ou Dutemps, Rozy, dit le Chevalier le Craqueur, Perault, Va de bon cœur, et autres exécutés à mort, lesquels il conduisait ordinairement dans son carrosse de fiacre aux promenades des environs de Paris ».

En septembre 1771, un arrêt de la cour du Parlement de Paris condamne Daniel Hueur, cocher sans condition, à être traîné sur la claie et pendu par les pieds en place de Grève, pour s'être transporté lui-même dans l'autre monde en se donnant la mort.

On dit généralement que le premier carrosse public apparu à Paris appartenait à un nommé Fiacre, qui demeurait rue Saint-Fiacre et avait dessiné sur sa voiture l'image de saint Fiacre, d'où le nom est resté.

Saint Fiacre, anachorète irlandais, issu d'une illustre famille, s'était installé en France dans une forêt de la Brie pour y vivre de jeûnes et de prières avant de s'éteindre en 670 environ. Aussitôt ses reliques opèrent des miracles. Associé à la fécondité de la nature, le saint préside à la génération. On vient de loin l'implorer de rendre les femmes fertiles. Anne d'Autriche se persuade que la naissance de Louis XIV est le fruit de sa dévotion et de ses pèlerinages à saint Fiacre. Le Roi-Soleil doit tout au patron des jardiniers.

Passionné d'archéologie, historien, conventionnel, Jacques-Antoine Dulaure ne manque pas de s'arrêter à cette sainte figure dans son essai *Des divinités génératrices ou Du culte du phallus* (1805). Le généalogiste met en évidence ce que saint Gilles (par eschilles, les sonnettes), saint René (les reins) ou saint Guignolet (de *guignere*, engendrer) doivent à Priape. « L'Antiquité avait fait de Priape un dieu ; le Moyen Âge en a fait un saint sous plusieurs noms. » Saint Fiacre est l'un de ses plus illustres représentants. Dulaure rappelle que la chaire de l'église du village de Saint-Fiacre, près de Monceaux, était constituée d'une pierre fort réputée contre laquelle se frottaient les femmes stériles, version chrétienne du phallus antique.

Telle est la leçon du palimpseste : derrière l'image du saint dessinée à la portière de la voiture figure secrètement le dieu des jardins. Priape est retrouvé. Il circule sur le pavé de Paris tiré par des chevaux.

Dès lors, qu'on le veuille ou non, qu'on s'y engage clandestinement ou avec innocence, *prendre un fiacre*, c'est se mettre sous la tutelle du dieu rubicond. C'est *faire une poste*.

Quelque chose inquiète et terrifie dans le transport.

Le mot se dit absolument quand il désigne le transport au cerveau qui se gagne « dans une fièvre continue, dans la petite vérole, dans la goutte, et dans d'autres maladies semblables. *Cerebri delirium* » (*Dictionnaire universel français et latin vulgairement appelé Dictionnaire de Trévoux*, 1771). Le vertige, le coup de sang, l'étouffement, l'arrêt du cœur, la congestion cérébrale voyagent de concert. Richelet note qu'il est « causé par une fièvre continue et par une impureté d'entrailles, d'où s'ensuit un dérèglement de toutes les fonctions, et fort souvent, la mort » (1709). Le médecin prononce « le transport », comme un orateur chrétien parle du Dieu vengeur. Même frisson, même étonnement, même épouvante devant le trait qui foudroie. Charretier de la mort.

C'est à frôler le passage de la ligne que s'exerce Marivaux.

Il est bon que la voiture commence par s'embourber. De Paris à Nemours, quelle aventure ! Prise de tabac, échange et sociabilité, la collectivité se forme. Les voyageurs prennent langue. Le narrateur tient sa partie. Et que faire dans un carrosse sinon parler d'amour ? Dedans comme dehors, l'échauffement gagne toute la machine. « La conversation sur l'amour était fort échauffée, quand, par l'imprudence des cochers qui vidaient derrière nous une bouteille de grès, nos chevaux sans guide enfilèrent un chemin plein d'un limon gras, où les malheureux animaux s'enfoncèrent, aussi bien que les roues de la pesante voiture qui resta comme immobile » (*La Voiture embourbée*, 1714). Un grand drame immobile : le coche est enfoncé. Il en va du voyage à Nemours comme de toute odyssée. Le naufrage appelle un nouveau port et un nouveau récit. Tombés « de la conversation la plus aimable à cette triste extrémité », les voyageurs réfugiés au village improvisent un roman qui durera le temps de réparer. L'un prend le relais de l'autre. L'impromptu amoureux – ses folies, ses enchantements et ses chutes grotesques – relève l'embourbement. Le roman s'achève, il est temps de partir. Rien n'arrête le récit. Service de la littérature.

Il faut dire plus. De Marivaux à Diderot, de *L'Indigent philosophe* à *Jacques le fataliste*, du *Spectateur français* au *Neveu de Rameau*, l'écriture tient au délire (proximité, fascination mutuelle, échanges permanents). Le roman, les rencontres, le désir s'enlèvent toujours sur une catastrophe.

Têtes chaudes grisées de vin et d'amour, ivres de vivre, éblouis des pensées qui les traversent, auteurs, narrateurs et personnages racontent leurs aventures comme on choque au cabaret chopine sur chopine. *Cerebri delirium*? Si l'on veut. Ne dit-on pas de celui qui a bu qu'il est « parti » ? L'indigent philosophe perd ses parents à l'âge de vingt ans, évoque un grand seigneur qui perd en un jour son fils unique et la moitié de sa fortune. A-t-on remarqué comme l'œuvre de Marivaux se peuple de morts subites ! Existences rayées d'un trait, effacées dans la minute. Le camarade qui emmène le philosophe au cabaret est le fils d'un musicien fort habile, grand ivrogne, qui puise dans le vin son inspiration : « À Lyon où il se trouva, il tomba malade d'un motet, dont il avait été prendre les beautés au cabaret, suivant sa coutume ; mais l'excès nuit en tout : le transport qu'il prit dans le vin le tua ; il fut enterré sans façon, et son motet aussi. Depuis ce temps-là, je n'aime pas les motets. Voilà la mort de mon père ; voyons ma vie à présent » (*L'Indigent philosophe*, deuxième feuille, 1727). Le transport fait dans le récit des coupes claires. Il s'agit d'aller vite, de prendre la mort de vitesse, d'inventer un rythme neuf qui coupe court (aux revers, aux deuils, aux conventions, à la bêtise ou à l'hypocrisie). La vie est un collage. Aux Messageries d'Atropos se gagne cette poétique du transport, en coups de ciseaux donnés à l'éloquence, aux développements, aux bienséances, aux transitions. Le foudroiement du transport jette la phrase dans l'urgence de vivre.

Il n'est pas étonnant que le camarade commence ses aventures en rencontrant un ecclésiastique que son cheval a jeté dans un fossé et, peu de temps après, une troupe de comédiens dont le chariot a versé. Marianne porte à son terme cette folie. Être embourbé n'est rien, il faut faire à présent le compte des massacrés.

Un carrosse de voiture qui allait à Bordeaux fut, dans la route, attaqué par des voleurs ; deux hommes qui étaient dedans voulurent faire résistance, et blessèrent d'abord un de ces voleurs ; mais ils furent tués avec trois autres personnes. Il en coûta aussi la vie au cocher et au postillon, et il ne restait plus dans la voiture qu'un chanoine de Sens et moi, qui paraissais n'avoir tout au plus que deux ou trois ans. Le chanoine s'enfuit, pendant que, tombée dans la portière, je faisais des cris épouvantables, à demi étouffée sous le corps d'une femme qui avait été blessée, et qui, malgré cela, voulant se sauver, était retombée dans la portière, où elle mourut sur moi, et m'écrasait (La Vie de Marianne, *1731-1741).*

La voici, l'enfant du massacre ! la fille du carrosse, mise au monde une seconde fois en donnant la mort à tous ceux qui l'entourent, mère, père, nourrice, dans ce berceau funeste. Le transport et le trauma se confondent désormais. Leurs effets en Marianne ne cessent pas.

Tant d'épreuves endurées, les outrages et les humiliations, l'indignation qui étouffe… chaque jour la jeune fille est portée aux limites d'elle-même. Qu'elle soit renversée par un carrosse au sortir de la messe ou agitée de sentiments contraires, le roman rapporte ses tribulations comme autant de transports. Le monde est vil, le monde est beau. Où trouverai-je mon lieu ? Sur la ligne des événements, sur le fil de l'émotion, Marianne est toujours bouleversée. «... Je pleurai d'aise, je criai de joie, je tombai dans des transports de tendresse, de reconnaissance ; en un mot, je ne me possédai plus, je ne savais plus ce que je disais. » Petites transes quotidiennes : le pas de danse du transport.

Déjà, il a fallu se séparer de la Dutour comme on quitte une patrie pour être abandonnée «dans un pays étranger» : «J'étais comme enlevée, il y avait quelque chose de trop fort pour moi dans la rapidité des événements qui me déplaçaient, qui me transportaient : je ne savais où, ni entre les mains de qui j'allais tomber. »

Joies et chagrins, fortunes et revers, il faut bien s'arrêter un moment. Tout se dénoue dans le retour au trauma. «J'eus le transport au cerveau ; je ne reconnus plus personne. »

C'est une enfant de trois ans qui étouffe dans la portière d'un carrosse rempli de cadavres. C'est une jeune demoiselle portée comme une plume dans les bras d'un cocher. C'est une femme qui n'en peut plus de découvrir la cruauté des hommes.

Étrangère, exclue, éprouvée, Marianne se dérobe.

Hanté par le transport comme une menace de mort qui le guette, comme un air de folie qui habite son œuvre, Marivaux s'interroge sur les limites de la conscience. C'est l'argument de l'insensé. Les exigences de la raison confrontées à l'ivresse de l'amour. Il n'y a plus d'innocent, il n'y a plus de coupable ; plus de vérité ni de mensonge ; le transport prend sur lui le désordre du monde, ôte à un criminel sa culpabilité, et libère un amant de tenir ses promesses.

Un homme amoureux est-il responsable des serments qu'il fait ? peut-il s'empêcher de les faire ? est-il son maître ? a-t-il de la raison ? Si dans un transport au cerveau j'avais juré de me tuer, au sortir de là, serais-je obligé de tenir parole ? Eh bien ! l'amour est un transport, on ne sait ce qu'on dit quand on aime. Promettre à une fille de l'épouser, si elle se fie à vous, n'est-ce pas lui promettre une impertinence? n'est-ce pas lui dire : Je m'engage à vous prendre pour épouse, quand vous ne le mériterez plus? Pourquoi donc s'y fie-t-elle? C'est, dit-on, qu'elle vous croit honnête homme. Ce n'est pas cela, c'est qu'elle a aussi le transport au cerveau, c'est qu'elle vous aime et qu'elle prend pour conviction de votre probité l'envie qu'elle a de vous mettre à l'épreuve. Eh! sans cela, Madame, comment expliquer sa complaisance? Mille exemples lui crient de tous côtés : Soyez sage! les serments qu'on vous fait ne valent rien, ils sont sans conséquence : votre prétendu mari ne les tiendra pas, et ne sera pourtant point parjure. Malgré cela, elle continue, et cela est fâcheux; mais du malheur qui lui en arrive, un amant n'en est pas coupable, il n'en est que cause innocente. Quand il revient de là, c'est un homme qui se réveille, et qui voit aussitôt disparaître toutes les illusions qu'il a rêvées dans son amour. Il ne sait où sont passés ces sentiments si tendres; il se retrouve avec un cœur froid, nonchalant, épuisé; cette maîtresse si aimable n'est plus; il ne voit plus à sa place qu'une fille imprudente dont la présence l'ennuie, dont les sollicitations l'importunent, dont la tendresse lui est à charge, et qui parle un langage qu'il n'entend plus. Elle est encore folle; il se trouve libre; elle le poursuit? il est naturel qu'il la laisse là (Le Spectateur français, onzième feuille, 1722).

Où sont les doux serments? les désirs enflammés? les châteaux mirifiques? Le coup de folie est monté à la tête, le coup de feu de l'amour a porté. Les amants entrent et sortent des Petites-Maisons. L'amour est l'autre nom du transport.

Mais alors où commence, où s'achève l'irresponsabilité? Qui, du cœur froid ou de l'homme amoureux, détient la vérité? Qu'est-ce qu'un homme raisonnable au regard de celui qui est transporté?

L'hypothèse du transport ouvre vertigineusement sur un monde sans conséquence.

En 1744 paraît chez Mérigot, libraire d'ouvrages clandestins et l'un des plus «fiers marronneurs» surveillés par la police dans le monde de la librairie, *Le Parfait Cocher, ou l'Art d'entretenir et de conduire un équipage à Paris et en campagne, avec une instruction aux cochers sur les chevaux de carrosse et une connaissance abrégée des principales maladies auxquelles les chevaux sont sujets, ouvrage utile tant aux maîtres qu'aux cochers.* Le livre est parfois attribué au duc de Nevers, il est plus vraisemblablement de François Alexandre Aubert de La Chesnaye Desbois, qui, entré chez les Capucins, sortit de son couvent pour se rendre en Hollande y vivre de sa plume (retour à Paris, existence laborieuse). On y découvre la «belle grâce d'un carrosse mis dans son équilibre». On y apprend la manière de traiter les chevaux qui écrasent des araignées dans leur bouche, celle d'arrêter les ressorts d'un carrosse en campagne, de donner des coups de fouet, de tourner à un coin de rue, de mener une chaise de poste, de soigner les chevaux lunatiques, ceux qui sont ombrageux, ceux qui ont un dragon (c'est-à-dire une tache blanche sur la prunelle). On y reconnaît les quatre-vingt-quinze maladies dont l'animal est susceptible, depuis l'« Abcès » jusqu'à l'« Urine ».

La même année, Mérigot fait paraître *Thémidore* de Claude Godard d'Aucour sans autorisation d'imprimer. Les deux livres sont faits l'un pour l'autre. Il y a peu de romans au XVIIIe qui, dans le cadre resserré d'une action à Paris, fassent autant usage de cochers et de carrosses.

Dès les premières pages du livre, le président de Mondorville abandonne sa voiture et demande une remise pour se rendre dans sa Petite-Maison en compagnie de Thémidore, jeune conseiller au Parlement. On croise en chemin la comtesse de Dorigny, toujours seule dans son vis-à-vis, et le jeune Poliphonte qui court à toute bride dans son phaéton bleu céleste (voiture haute et découverte qui présente deux sièges parallèles portant chacun deux personnes). Nos parlementaires s'arrêtent pour faire monter Laurette et Argentine, et tirent les stores. Après quoi les changements de voiture se multiplient tout au long du roman. «Je montai sur une chaise», «nous montâmes en carrosse» reviennent comme un refrain qui rythme le récit et fait entendre la circulation amoureuse, le mouvement de la vie, le battement du désir au sein des grandes capitales. Cocher, au trot! Suivez cette voiture! Attendez-moi ici!

Thémidore se fait conduire en carrosse au Luxembourg, renvoie ses gens, s'enferme dans une chaise de poste qui le conduit chez Rozette dont il est amoureux. Les amants se séparent pour un nouveau rendez-vous, plus clandestin encore. C'est que le jeune homme se cache de son père, juge au Parlement, qui craint pour son fils les désordres de la galanterie. Thémidore invoque une invitation à souper, se fait conduire au Marais, fixe rendez-vous à son cocher à une heure du matin près de l'hôtel de Soubise et, les domestiques partis, monte dans un fiacre marqué au numéro 71 et à la lettre X pour retrouver Rozette. Tout s'arrangerait à merveille si les amants n'oubliaient le rendez-vous, épuisés de fatigue, mais «incapables de terminer leurs transports». L'inquiétude du père nous vaut alors une des nuits les plus trépidantes de la littérature.

Minuit sonne. Accompagné par un ami, un exempt, un commissaire de quartier, suivi par une compagnie du guet à cheval pour leur prêter main-forte, le père du héros se lance à sa recherche dans Paris. Il s'agit de retrouver le cocher du fiacre 71 et de lui faire avouer l'adresse où il a emmené Thémidore. On multiplie les courses. Est-ce la bonne rue ? On frappe aux portes. Est-ce la bonne entrée ? On monte les escaliers. Est-ce le bon étage ? Le passage devant les Petites-Maisons marque l'air de folie qui emporte tout ce monde. Enfin le jeune homme est retrouvé, et Rozette arrêtée à quatre heures du matin.

Pour libérer la fille enfermée à Sainte-Pélagie, Thémidore fait porter des messages par ses cochers, sollicite des appuis, médite un traité de *la connaissance des fiacres* qui serait plus utile, estime-t-il, que tous les almanachs qui pronostiquent le temps. Amour et numérologie. Transport et prédestination. Comme un joueur lance les dés, les fiacres jettent leurs numéros dans la partie.

Mis dans la confidence (jusqu'à un certain point), l'abbé Le Doux, son directeur de conscience, vient en aide au bouillant conseiller – à la condition de ne pas brusquer l'allure. Tout doux, mon fils, comme vous y allez :

Nous partîmes ; comme je serais fâché, cher marquis, qu'on ne me prît pas pour un jeune conseiller, je vais

*toujours dans Paris à toute bride, mes chevaux y sont
accoutumés. M. Le Doux, qui ne monte en équipage
qu'avec des dévotes et des vieilles, fut effrayé de mon train
et me pria d'ordonner à mes gens de ne se pas tant préci-
piter. Il m'ajouta qu'il n'était pas séant qu'on vît un ecclésiastique courir comme un jeune homme ; il me cita même
un passage latin d'un concile de Jérusalem qui défend aux
cochers d'obéir aux maîtres qui leur commandent d'aller
plus vite que le pas.*

Après bien des aventures qui transportent le héros
d'un bout à l'autre de Paris, la jeune femme recouvre la
liberté. «Avec quel transport ne revit-elle pas son
appartement ! » Le lecteur l'imagine sans peine, comme
les transports de reconnaissance qu'elle prodigue à son
amant. De sorte que tout finit par des chansons en
joyeuse compagnie. «La maîtresse du chevalier de
Bourval commença par des airs libres, elle embrassa
son voisin, sa voisine en fit autant, et ainsi comme de
main en main le libertinage prit une espèce de circulation. »

Filles, fiacres, airs libres et vaudevilles, le plaisir
circule. Le libertinage n'a pas simplement pour objet la
circulation des idées ou des corps. Il est la circulation
elle-même.

Thémidore apparaît comme une version heureuse (galante et enjouée) des aventures du chevalier Des Grieux et de Manon Lescaut (1731). C'est que le récit de Des Grieux s'ouvre avec l'arrivée du coche d'Arras dont descend une jeune femme charmante à éblouir, qui l'« enflamme tout d'un coup jusqu'au transport ». L'ascendance d'une destinée fulgure dans ce mot. À cet instant, Des Grieux fait d'un mouvement irrépressible l'état permanent auquel il ne peut s'arracher. D'un bout à l'autre du récit, le chevalier est transporté.

Le roman s'impose comme une symptomatologie active, ardente, désespérée : « Mon cœur s'ouvrit à mille sentiments de plaisir dont je n'avais jamais eu l'idée. Une douce chaleur se répandit dans mes veines. J'étais dans une espèce de transport, qui m'ôta pour quelque temps la liberté de la voix et qui ne s'exprimait que par mes yeux.» La rencontre d'un dieu offre moins de jouissance. Sur son chemin de Damas, le jeune homme est foudroyé – et de même que l'apôtre remonte à cheval pour prendre la route contraire, à la pointe du jour Des Grieux et Manon filent en chaise jusqu'à Saint-Denis, avec une ardeur amoureuse qu'admirent les postillons.

Comment le chevalier pourrait-il prendre la mesure de cette passion impossible, impensable, inimaginée? L'enlèvement du jeune homme et le retour à la maison n'empêchent rien. Dès que Manon paraît, Des Grieux est relaps, et reprend – selon le mot de Tiberge – «le train du désordre». Est-ce l'amour qui l'entraîne? Oui, quand l'amour met les ténèbres au milieu du jour et la lumière en pleine nuit; oui, quand l'amour désavoue l'ordre du monde en passages, effractions, lignes de fuite insensées; oui, quand l'amour s'illumine en fusées de détresse. Des Grieux lui-même en frémit, «comme il arrive lorsqu'on se trouve la nuit dans une campagne écartée : on se croit transporté dans un nouvel ordre de choses».

L'autre monde, au cœur du monde, lui est révélé.

Après la fuite de Saint-Lazare, il s'agit d'aller bride en main délivrer Manon. L'évasion réussie, le cocher demande où emmener ses passagers : «"Touche au bout du monde, lui dis-je, et mène-moi quelque part où je ne puisse jamais être séparé de Manon."/ Ce transport, dont je ne fus pas le maître, faillit de m'attirer un fâcheux embarras. »

Où est le bout du monde ? demande le cocher, à qui une adresse plus précise (et l'assurance d'être payé) conviendrait mieux. Des Grieux affiche ce qui lui manque et lui manquera toujours : jamais il ne sera le maître du transport. Du moins les courses entre Chaillot et Paris, l'attente dans le fiacre rue Saint-André-des-Arcs, les élans d'indignation, de dépit, de fureur, tout pourrait se résoudre « au bout du monde » où Manon s'offre à suivre son chevalier pour preuve de son amour. Qu'à cela ne tienne! Qu'il en soit ainsi! Le convoi de chariots qui emmène les filles de joie au Havre emportera Manon. Le transport en Amérique lui est donné.

Mais il n'y a pas de bout du monde. Il n'y a pas d'issue, pas de répit, pas d'échappée. Qu'avait-il entrevu, Des Grieux, dans cette vie de plaisirs et d'inquiétudes folles ? Sur quelles terreurs la volupté tenait-elle prise ? Était-ce la mort elle-même, déjà, qui à Arras descendait du coche et condamnait le chevalier aux transports d'une célébration funèbre, à faire de son récit un tombeau ?

Il existait à Paris une rue du Bout-du-Monde dans le quartier Saint-Eustache, menant d'un côté à la rue Montmartre, de l'autre à la rue Montorgueil. Elle tenait son nom d'une vieille enseigne sur laquelle figuraient un *bouc*, un grand *duc* et un *globe*. « C'est de pareilles enseignes que plusieurs rues ont pris leur nom », écrivent Hurtaut et Magny dans leur *Dictionnaire historique de la ville de Paris* (1779).

C'est dans la rue du Bout-du-Monde que Jacques Vergier, poète libertin, auteur de contes, vaudevilles et chansons à boire, mourut assassiné par un membre de la bande de Cartouche dans la nuit du 17 au 18 août 1720.

L'Espion libertin ou le calendrier du plaisir contenant la Liste des jolies femmes de Paris, leurs noms, demeures, talents, qualités et savoir-faire, Suivi du prix de leurs *charmes* (an XI, 1803) fixe dans la rue du Bout-du-Monde la taverne d'un mystérieux H***, qui fait trafic de chair humaine : «Cette maison est le plus infernal réceptacle qu'il y ait à Paris. C'est un assemblage de voleurs et de femmes, non seulement proscrites par la société des gens vertueux, mais même par celle des libertins qui ont un reste de probité et de délicatesse.» On n'ira pas plus loin dans le rebut.

Si les femmes qui y demeurent constituent le dépôt de la société, du moins le tarif est-il modeste : «Y compris la chandelle et la goutte d'eau-de-vie : cinquante centimes.»

La vogue des romans de courtisanes et de filles connaît au XVIIIe siècle un immense succès. La belle Allemande, la tourière des Carmélites, Fanfiche, Margot, Julie, tant d'autres avec elles renversent les préjugés, mettent le siècle à nu, disent la vérité du corps et du désir. Elles bougent, remuent, bourdonnent dans la ville. Elles emménagent, déménagent sans cesse. Entre bonnes fortunes et coups du sort, à travers mille stations éphémères (autant de protecteurs), les filles du monde cherchent la bonne adresse. Filles publiques, elles mènent « la chevalerie errante » de la galanterie et reconnaissent dans le cocher de fiacre un complice, versé comme elles dans l'art de la divagation.

Dans *La Belle Allemande ou les Galanteries de Thérèse* d'Antoine Bret (1745), Thérèse s'installe successivement rue d'Orléans, rue Sainte-Anne, rue Coquillère, rue des Deux-Ponts, rue de Luxembourg : « Marché conclu, nouveaux arrangements, me voilà transplantée rue Bertin-Poirée, dans une maison dont les meubles me furent donnés en propre. » On voit passer Margot (*Margot la ravaudeuse* de Fougeret de Monbron, 1750) de la rue Saint-Paul à la rue Montmartre, puis rue du Chantre, rue du Champ-Fleury, rue Sainte-Anne. Mlle Brion (*Histoire de mademoiselle Brion, ditte* [*sic*] *comtesse de Launay*, 1754) négocie plusieurs installations, rue de Tournon, rue Jacob (pour y faire ses couches), rue Château-Bourbon, rue du Paon, rue du Bouloi... On croit la fille établie dans ses meubles, elle bascule à la brune dans les espaces imaginaires, elle disparaît au désespoir des mouches de police qui cherchent à la « loger ». C'est ainsi que s'effectue la relance du désir, du transport amoureux, toujours menacé.

Babet commence ses caravanes en quittant sa mère et Saint-Quentin pour suivre Dupéronville à Bruxelles dans ses campagnes militaires. À Mons, les amants garnissent leur voiture de deux matelas et se glissent entre les draps : « La douce agitation de la berline nous excitait au plaisir ; je voyageais dans les bras de mon amant ; qu'ils étaient délicieux ! Mon cœur tendrement agité semblait s'avancer sur mes lèvres » (*Histoire de*

Babet, de Henri-Joseph Du Laurens, 1765). La sexualité est un voyage. Le voyage est sexuel. Nous voguions, dit Babet, sur une « mer de délices ». L'agitation se poursuit jusqu'à l'entrée dans la ville, à l'heure où on se rend à Paris au spectacle.

> *À cinq heures, nous fûmes à Bruxelles ; mon amant rempli de sa passion ne songeait pas que nous étions déjà dans cette ville. Dans le milieu d'une rue, il se mit encore à me donner des preuves de sa tendresse. Nous fûmes pris en flagrant délit ; notre postillon, obligé de détourner pour un enterrement qui avançait de notre côté, passa sur des pierres amoncelées dans un endroit où l'on pavait ; la vitesse dont nous allions, le choc que notre vieille berline donna en retombant, brisa le train de devant ; l'impériale se démonta, et le suivit ; les couvertures s'en allèrent de compagnie, mon jupon d'étamine tomba d'un côté, mes souliers plats de l'autre, et le chevalier se trouva sur moi avec le derrière en l'air.*

Tel est le roman du monde : roman comique. Entre bagarre et bigarrure, cortège nuptial et convoi funèbre, le burlesque expose l'agitation et le vacarme de la jouissance, tout le retour du corps réel, les fesses à l'air. Les convenances sont ébranlées. Babet et le roman secouent le monde. On crie dans le plaisir. Les lits craquent. Les voitures s'effondrent. La fille remue le poignet, réveille les membres «rebelles aux secousses», fait aller la machine. Elle met au jour le chahut perpétuel du sexe et du désir. Elle affiche qu'il n'y a d'autre vérité que le corps en mouvement dans le mouvement du monde.

Du reste, Mlle Brion invite le lecteur à se défier du titre fastueux de *comtesse de Launay*. D'entrée, la femme du monde avoue son origine : son père n'est autre que Maclou Launay, « homme connu sur la place, faisant du bruit dans Paris et ayant un carrosse qu'il menait lui-même ; c'est-à-dire, madame, qu'il était Phaéton public moyennant vingt sols par heure ».

La circulation, le mouvement, la connaissance des rues, le caractère public du métier : entre le père et la fille, du cocher à la femme galante, c'était dans le sang. C'est affaire de famille.

Encore faut-il rappeler que « côcher » (la première syllabe est longue, le mot porte l'accent) « se dit des coqs qui couvrent la poule. Il se dit aussi des mâles des oiseaux qui couvrent leurs femelles » (*Dictionnaire de l'Académie*, 1798).

À partir du milieu du XVIIIe siècle, la promenade du Boulevard connaît chaque année un succès grandissant. De Pâques au mois d'octobre, le dimanche, le jeudi, les jours de fête, deux files de voitures partent de chaque côté « de la porte Saint-Martin jusqu'à la demi-lune » pour revenir par le même chemin. Sur les trottoirs, des loueurs de chaise permettent aux passants de jouir du spectacle de ces quatre rangées de carrosses. Les filles du monde y exposent leurs charmes. Des hommes à pied causent aux portières. On rit, on s'interpelle, on fait des mines. Cela forme une animation sans pareille.

Dans les années 1750, les cabriolets – calèche très légère conduite par un cheval – sont à la mode, malgré les accidents qu'occasionnent ces petites voitures. En mai 1754, Pierre Rousseau rapporte dans sa correspondance littéraire à l'Électeur palatin la mésaventure qui occupe Paris :

Lundi dernier, deux cabriolets s'étant heurtés avec impétuosité, ils se renversèrent mutuellement. Le petit-maître de chacune de ces deux voitures avait avec lui une demoiselle dont la vertu était aussi légère que la voiture même ; tous les quatre furent renversés dans une poussière affreuse, on courut au secours, on remit les équipages sur pied, et l'on continua sa route chacun de son côté. Ils étaient tellement étourdis qu'ils ne s'aperçurent pas qu'ils avaient fait un échange des demoiselles, aucun d'eux ne revendiqua sa dulcinée, et ils s'en tinrent aux arrangements du hasard.

Rien ne pèse. Au hasard du boulevard, les demoiselles sont légères, les petits-maîtres étourdis, et le flux continue. Mais ce qu'il ne faut pas manquer, ce qui s'impose absolument, c'est la promenade de Longchamp. Le même Rousseau écrit la même année, au mois de mars : « On a vu cette année à Longchamp pendant les trois jours de Ténèbres, les plus brillants équipages qui aient jamais paru… »

Les Ténèbres s'illuminent. L'amertume du jardin des Olives est effacée. Des transports magnifiques recou-

vrent le calvaire. À l'ouest du bois de Boulogne, l'ab-
baye de Longchamp est devenue un but de promenade
depuis que Mlle Le Maure, cantatrice à l'Opéra, s'y est
retirée en 1727, attirant par son chant une foule
immense. On venait l'entendre la Semaine sainte, aux
offices des mercredi, jeudi et vendredi saints. Pas de
jours plus sacrés pour les courtisanes en vue. Il s'agit de
briller à Longchamp. Le carrosse qui transporte les
filles d'Opéra proclame leur triomphe, et confirme les
jouissances les plus chères de Paris.

En avril 1742, Mlle Le Duc remporte la palme en
partant le mercredi et le jeudi saints dans un carrosse à
six chevaux pour retrouver au bois « une petite calèche
toute neuve, que le prince [de Clermont] avait fait
faire, bleu et argent, et en dedans de velours bleu
brodé en argent, attelée de six petits chevaux pas plus
forts que des ânes ». Barbier note dans son *Journal* :
« Cela était de la dernière magnificence. » Couverte de
diamants, dans la calèche bleu argent qu'elle conduit
elle-même, Mlle Le Duc scandalise Paris. Tant de folies
pour une femme ! Le comte-abbé est grondé par sa
mère. Les épigrammes se multiplient. Le roi lui-même
écrit une chanson :

Un char à ta catin
Mon cousin,
Ce n'est pas son allure ;
Le coche à Pataclin, mon cousin,
Et un habit de bure,
Mon cousin,
Ah ! voilà l'allure, l'allure,
Mon cousin,
Oh ! voilà son allure.

En 1754, le marquis de Villeroy – enfermé à la Bastille l'année précédente pour avoir fouetté le cocher de l'ambassadeur de Portugal, qui entravait sa route – paraît dans un cabriolet représentant un lion doré dont la queue retroussée forme un parasol à demi replié. Six coursiers gris pommelés tirent cette merveille.

En 1768, Mlle Guimard – « fameuse actrice de l'Opéra qui jouit à Paris de plus de soixante mille livres de rente, et voit à ses pieds les plus grands seigneurs » (*Correspondance d'Eulalie, ou Tableau du libertinage de Paris*, 1785) – gagne tous les suffrages. Surnommée « le squelette des grâces », célèbre pour ses rigodons et ses caprices, elle couronne par un somptueux carrosse une vie de luxe et de plaisir soutenue par le prince de Rohan-Soubise, Jarente de La Bruyère, évêque d'Orléans, ou le financier Laborde.

En 1774, Mlle Duthé (ou Du Thé) – inscrite sur les registres de l'Opéra, elle eut comme amants le duc de Durfort, le marquis de Genlis, le comte Matouski, et fut choisie pour initier au plaisir le duc de Chartres et le comte d'Artois – se montre en maillot de taffetas couleur de chair, portant un collant recouvert par une chemise d'organdi, coiffée «à la caisse d'escompte» (c'est-à-dire sans fond) dans un fouillis de soie, de bijoux, de rouge, de poudre et de mouches. Décorée de chiffres et d'amours dessinés par un élève de Boucher, la caisse de son carrosse porte une conque dorée doublée de nacre, avec accompagnement de tritons en bronze. Les moyeux des roues sont en argent massif. Quelle insolence! Huit chevaux blancs (c'est le nombre réservé aux carrosses des princes) piaffent au devant dans leur harnachement d'or et de soie.

En 1780, la duchesse de Valentinois paraît dans un carrosse de porcelaine.

Mais – comment en douter ? – il y a un envers de Longchamp, réservé aux filles publiques qu'on arrête pour raccrochage, maladie secrète, tumulte ou ivresse, celles contre qui on porte plainte et qu'on enferme à la prison Saint-Martin, où elles attendent le jugement du représentant du lieutenant de police, qui les interroge le dernier vendredi de chaque mois, à genoux, sans avocat, pour être ensuite relâchées ou condamnées à la Salpêtrière.

On comprend alors la chanson de Louis XV. Rien n'est plus humiliant que le « char à Pataclin » (c'est le nom de la directrice de l'hôpital), ce long chariot découvert dans lequel les détenues sont entassées, debout, le crâne rasé, escortées par des gens d'armes. Le voyage des filles de joie de Saint-Martin-des-Champs à la Salpêtrière est un délice aux yeux des Parisiens, qui multiplient les cris, les rires et les injures au passage du chariot, au point qu'on décide au milieu du siècle que les transports se feront de nuit, pour échapper aux regards.

Mai 1742, Casanova est à Paséan. Comme l'Italie est délicieuse au printemps! Que cette jeune mariée est charmante dans leurs promenades au jardin, et son mari bien sot de lui donner par vanité des motifs de jalousie. Qu'il est bon d'être une fois encore Giacomo Casanova, de savoir combien les femmes sont belles et ce que l'occasion peut sur elles!

Et pourtant, attentions, singeries, grands et petits soins ne font pas avancer l'affaire pendant plus de dix jours. Il faut une promenade en voiture pour créer l'événement. Le jour de l'Ascension, tandis que le mari s'est installé avec sa belle-sœur dans une voiture à quatre places, Casanova s'indigne de se retrouver seul dans une calèche à deux roues. «Pour lors, elle vint, et ayant dit au postillon que je voulais aller par la route la plus courte, il se sépara de toutes les autres voitures prenant le chemin du bois de Cequini. Le ciel était beau mais en moins d'une demi-heure il s'éleva un orage de l'espèce de ceux qui s'élèvent en Italie qui durent une demi-heure, qui ont l'air de vouloir bouleverser la terre, et les éléments, et qui finissent en rien » (vol. 1, chap. V).

Les éclairs se succèdent, le tonnerre gronde, la foudre éclate sur le chemin. Les chevaux se cabrent. La jeune femme se jette contre son compagnon, qui l'enveloppe dans son manteau. Un nouveau mouvement, « et elle tombe positivement sur moi qui rapidement la place à califourchon ». Maintenue prisonnière, il ne lui reste plus qu'à feindre de s'évanouir, au cas où le postillon se tournerait. La pluie bat son plein, la cavalcade se poursuit, « je laisse qu'elle m'appelle impie tant qu'elle veut, je la serre au croupion, et je remporte la plus belle victoire que jamais habile gladiateur ait remportée ».

La jeune femme s'étonne de voir le chevalier défier les éléments avec un tel sang-froid. C'est que la tempête est d'accord avec lui, athée, libertin, cyclone portatif. Et pour la guérir de la peur de l'orage, il aura fallu coup de tonnerre sur coup de tonnerre, convulsion sur convulsion. N'est-ce pas le principe du transport selon Casanova ? N'est-il pas lui-même le coup de foudre incarné !

Voyageur par excellence, parfait séducteur, Casanova est le transport en personne. Et l'on comprend pourquoi le mémorialiste fixe au jour de l'Ascension cette promenade qui, selon toute vraisemblance, eut lieu en septembre.

(Il s'agit aussi de ne pas négliger le postillon :

« De quoi ris-tu ?

– Vous le savez bien.

– Tiens. Voilà un ducat. Mais sois discret. »)

Le chevalier de La Morlière porte à son terme la théorie du vis-à-vis, le jour où son héros emmène Zobéide dans son équipage. Voici *Angola, Histoire indienne, ouvrage sans vraisemblance*, à Agra, avec privilège du Grand Mogol (1746) :

L'attitude où un homme et une femme se trouvaient nécessairement dans ces sortes d'équipage avait je ne sais quoi de voluptueux qui rendait l'un plus entreprenant et l'autre plus facile à vaincre. Les genoux et les jambes se trouvaient entrelacés l'un dans l'autre ; les visages, vis-à-vis et très près l'un de l'autre, se renvoyaient mutuellement la chaleur de la passion qui les animait. Séparés du reste du monde, et se regardant comme dans une entière solitude, tout disposait à la volupté et contribuait à diminuer les égards d'un côté, et à faire perdre les scrupules de l'autre. Heureuse invention, et dont l'artiste devait être un des plus chers favoris de l'amour! Combien de femmes, en effet, après avoir résisté aux occasions les plus délicates, étaient venues échouer décemment *dans un vis-à-vis? Combien d'amants ne devaient leur bonheur qu'à son attitude voluptueuse et à la nécessité du tête-à-tête?*

Jeune, inexpérimenté, Angola échoue pourtant à convaincre Zobéide de la vérité de ses transports. Il faut attendre le moment où il entre en calèche avec Aménis pour que la leçon aboutisse. Alors que de vivacité[1]! quel empressement! comme il lui baise les mains, exhibant ses raisons avec *une évidence trop frappante* pour qu'elle se dérobe, jusqu'à obtenir l'échange de quelques complaisances qui valent aux amants « de ces moments heureux d'anéantissement qui suivent et couronnent les tendres caresses », malgré leur courte durée.

Pour le coup, le vis-à-vis a porté. Vertu apéritive du transport, le carrosse se charge des préliminaires : la fée Lumineuse, Zobéide et Aménis auront tout le loisir de « remettre sur le tapis » les points importants soulevés

1. Comme le souligne également Benoît Melançon qui analyse quelques procédés narratifs de la scène de fiacre dans « Faire catleya », *Études françaises* de l'université de Montréal, automne 1996.

dans la voiture pour en débattre avec le prince avec toute l'extension, l'exactitude et la commodité nécessaires.

Point de question, point de résistance, point de lendemain !

Le roman en carrosse est un voyage au bout de la féerie, le temps d'un aller-retour dans la voiture qui vous emporte sous les étoiles, dans l'ombre où les bonnes et les méchantes fées rejouent l'enlèvement au boudoir. Tel est *Point de lendemain* de Dominique Vivant Denon (1777). Le hasard et la préméditation, la surprise et le calcul s'unissent à merveille. Le moment libertin s'étire à la mesure d'une nuit. Dans leur robe trempée d'écume bleue, les chevaux des ténèbres emmènent Mme de T... et le jeune homme sous un ciel sans nuages. Lumineuse est la nuit. C'est le nom de la fée qui veille au vis-à-vis.

Nous approchions du lieu où allait finir le tête-à-tête.

On me faisait, par intervalles, admirer la beauté du paysage, le calme de la nuit, le silence touchant de la nature. Pour admirer ensemble, comme de raison, nous nous penchions à la même portière; le mouvement de la voiture faisait que le visage de madame de T... et le mien s'entretouchaient. Dans un choc imprévu, elle me serra la main, et moi, par le plus grand hasard du monde, je la retins entre mes bras. Dans cette attitude, je ne sais ce que nous cherchions à voir. Ce qu'il y a de sûr, c'est que les objets se brouillaient à mes yeux, lorsqu'on se débarrassa de moi brusquement, et qu'on se rejeta au fond du carrosse.

Les chocs et les mouvements de la voiture sont compris dans le transport. Du tête-à-tête au corps-à-corps, la partie continue. Les visages qui s'entretouchent appellent les baisers et les caresses de la nuit qui s'engage.

À la fin du récit, l'heure du départ est arrivée. Mme de T… raccompagne son jeune amant à la voiture. «Adieu, monsieur; je vous dois bien des plaisirs, mais je vous ai payé d'un beau rêve. Dans ce moment, votre amour vous rappelle, et celle qui en est l'objet en est digne. Si je lui ai dérobé quelques transports, je vous rends à elle plus tendre, plus délicat et plus sensible.»

L'adieu sonne la fin de la nuit à laquelle le roman a donné corps. Entre l'impératif despotique du plaisir – *point de lendemain,* c'est dans la langue du XVIIIe siècle : tout de suite, immédiatement ! – et la langueur du voyage qui s'achève sans souci du lendemain. La pointe mélancolique d'un transport sans avenir.

Il y a des cochers qui tiennent du miracle. *Le Jeu, le vin et les femmes, ou le Danger des passions. Suivi d'Anecdotes curieuses, amusantes, historiques et critiques* par A... S... (chez Tiger, au Pilier-Littéraire, qui édite à la fin du siècle Jacques Grasset Saint Sauveur, l'auteur de *Hortense ou la Jolie Courtisane. Sa vie privée dans Paris. Ses aventures tragiques avec le Nègre Zéphire dans les déserts de l'Amérique*) rassemble pêle-mêle nouvelles et anecdotes du siècle, parmi lesquelles l'*Histoire de Belise*.

Comme la comtesse souffre d'une migraine, le marquis de Sarzanne offre sa voiture pour la raccompagner chez elle. Mais son hôtel est si proche. Est-ce bien nécessaire ? Il n'y a qu'un instant.

À peine sont-ils dans le carrosse que le marquis la serre. Quel empressement ! Quelles façons ! Pour le temps que durera le transport !

« Il est vrai, madame, que vous n'êtes point fort éloigné de votre hôtel, mais grâce à l'art de mon cocher, nous n'y serons pas arrivés avant un bon quart d'heure, et vous devez sentir qu'il faut beaucoup moins de temps… — Encore un coup, s'écria Belise, vous n'y pensez pas, Monsieur, je vois déjà ma porte, et avant deux minutes je suis chez moi. — Cela pourrait être, Madame, repartit le marquis, si vous aviez affaire à un cocher ordinaire, à un de ces ignorants qui ne connût point la marche nocturne ; mais voyez de grâce l'allure de ces chevaux, et comment mon cocher, en leur faisant faire la manœuvre du Zigzag, adoucit le mouvement de la voiture, et retarde la marche qu'il semble presser. — Oh pour le coup, dit la comtesse, voilà un de ces raffinements auxquels je ne m'attendais pas, et je vous avouerai que… » Belise balbutia alors, et monsieur le marquis, reprenant son chapeau, lui dit : « Madame, vous êtes chez vous. » La comtesse ne revint point de son étonnement, elle voulut engager Sarzanne à entrer, mais il s'excusa sur l'obligation où il était de reconduire d'autres dames.

À travers son cocher, le marquis est maître du temps. Il règle à son gré le rapport de la distance à la durée. Mais ces voyages ne sont pas toujours sûrs. Sait-on jamais ce que transporte un carrosse, ce qu'un transport véhicule. Le lendemain de l'aventure, la comtesse reconnaît les signes d'une maladie secrète – «ah ciel! en quel état suis-je? » – et fait appeler le marquis.

Celui-ci vint s'expliquer avec la comtesse, et s'excusant de bonne foi sur l'ignorance où il était de sa situation, il s'en plaignit à la Deschamps *de l'Opéra, qui rejeta ce malheur sur un* Ministre étranger, *lequel l'attribua à la* Femme *d'un fermier général ; celle-ci imputa la cause de cette indisposition à un* Guidon *des mousquetaires, qui soutint qu'elle venait d'une* Épicière *du quartier, qui jura que depuis six mois elle ne parlait qu'au* Frère quêteur *des Capucins ; ce religieux s'en prit à la* Duchesse *de* ***, *laquelle protesta qu'elle ne recevait chez elle qu'un* Abbé *portugais, qui avoua qu'il avait eu une conversation fort tendre avec une* Actrice *de la comédie française ; l'actrice, pour se disculper, jeta la faute sur le* Marquis *de* C*** *mais comme ce seigneur avait été tué à Rosback, les recherches n'allèrent pas plus loin, et la généalogie de la maladie dont Belise venait d'être frappée demeura imparfaite.*

Comme un autre voyage au cœur du voyage amoureux, que poursuit de transport en transport la maladie galante.

La langue du XVIIIe siècle se souvient que carrosse et caresse ont partie liée. Un air de fête appelle la rime et la chanson dès le titre de *Félicia* de Nerciat (en attendant le *Nana* de Zola). *Félicia ou mes fredaines* (1775) : le romancier remonte le coffre de la voiture comme une boîte à musique dont les sujets exécutent le pas de danse.

Dans la troisième partie du roman, le carrosse embourbé est attaqué par des cavaliers qui menacent de violer Félicia et ses compagnes. Dans la quatrième partie, excitée par un masque au bal de l'Opéra, curieuse, pleine de feu et de désir, Félicia se retrouve dans le fiacre d'un cocher ivre. « Sale équipage. » Mauvaise nuit.

Le verglas dans Paris souligne que le pas est glissant. Exclamations et sanglots voluptueux montent de la voiture ; au-dehors, le cocher maudit « l'heure indue, le mauvais temps et l'amour ». Le domino arrête le fiacre pour châtier l'insolent. Coups d'épée d'un côté, coups de fouet de l'autre. Une escouade du guet se précipite, tandis que Félicia s'enfuit.

Transports sont petites roues d'horlogerie, rouages du roman. Toute une mécanique assure l'enchaînement des situations, le développement de la scène, la relance du récit. Le lendemain, Félicia (qui a perdu dans l'affaire une girandole pendue à son oreille) apprend par un billet que le masque n'est autre que Belval, petit maître de danse, qui l'engage – « vous étiez si belle !... et j'étais si amoureux !... songez à votre santé... » – à prendre des remèdes.

Fredaines, à la digue dondaine. La ronde se poursuit et fait des tribulations de Félicia une somme romanesque, le recueil d'aventures sans fin ravaudées quasiment en feuilleton.

En 1760, Casanova abandonne l'idée de se faire moine à Einsidel lorsqu'il retrouve à Soleure Mme…, en qui l'on reconnaît Marie-Anne-Louise baronne de Roll. Contre toute évidence, Casanova la présente mariée, de telle sorte que le séducteur, enflammé de désir, s'impose un amour héroïque et chargé de mystère. Comment se retrouver à l'abri des regards ? L'intervention complice de l'ambassadeur de France, M. de Chavigni, précipite les choses. Au sortir d'une répétition de *L'Écossaise* de Voltaire où chacun tient son rôle, le diplomate emmène le mari dans sa voiture en engageant M. de Seingalt à partager celle de son épouse. Ils montent tous les deux avec l'air de « la plus grande indifférence ». À peine la voiture a-t-elle pris la route, que leurs lèvres, leurs mains, leurs bras se jettent en avant. Le coup de fouet du désir les emporte. Le temps est cravaché. « Une demi-heure passa comme une minute ; mais nous ne la perdîmes pas à parler. Nos bouches s'unirent, et ne se séparèrent qu'à dix pas de la porte de l'hôtel » (vol. 6, chap. V). Rien de plus. Quelle merveille !

Une fois encore fiacres et carrosses constituent ce lieu paradoxal, visible et séparé, circulant au milieu des regards, où bourdonnent tant de secrets dérobés et de plaisirs défendus.

Sans doute le chevalier doit-il attendre encore pour être parfaitement heureux, mais il garde au cœur et aux lèvres la fusée de ce baiser.

Après la première démonstration publique du globe que réalisent à Annonay Joseph et Étienne de Montgolfier le 4 juin 1783, c'est à Paris, en France, en Europe, une folie. L'aéromanie s'empare de toutes les têtes. On fait des coiffures, des chapeaux, des robes *à la montgolfier*. « Tout est globe dans Paris », note Rivarol dans ses *Lettres à M. le Président de *** sur le Globe aérostatique*. Textes et chansons se multiplient. Projets, chimères, extravagances : rien n'arrête l'engouement pour la machine nouvelle. La polémique entre montgolfiéristes (partisans de l'air chaud) et carolingiens (adeptes de l'hydrogène utilisé par Charles) bat son plein. Pilâtre de Rozier et le marquis d'Arlandes s'envolent le 21 novembre du château de la Muette à la Butte aux Cailles. Le 1er décembre, Charles et Robert volent des Tuileries à Nesles-la-Vallée. Les voyages dans l'espace, l'homme volant, le cabriolet aérien, les chars célestes, tous les essais, toutes les fictions conçues depuis des siècles connaissent une apothéose éblouissante.

Le ballon glisse dans l'air. La terre est vue du ciel. L'homme est transporté.

Chacun s'émeut comme au premier jour, au moment où l'objet a pris forme et s'est développé sous les regards : « La machine, qui ne présentait alors qu'une enveloppe de toile doublée en papier, qu'une espèce de sac gigantesque de trente-cinq pieds de hauteur, déprimé, plein de plis et vide d'air, se gonfle, grossit à vue d'œil, prend de la consistance, se tend dans tous les points, fait effort pour s'enlever. » Un sac de plis s'endurcit et se couvre d'orgueil. La diable de machine s'épanouit en belle pièce. Consistante. Tout en l'air.

Il plait à l'œil. On voudrait le toucher. Le ballon embrasse et fait l'éloge de tous les globes que l'amour a formés. Il réalise les rêves dont l'espace est peuplé. Il porte haut ses charmes et ses nouveaux appas, ces croupes montgolfières impatientes de servir. Amours. Azur. Délices.

Lorsque Mme Thible et M. Fleurant prennent leur envol dans la Gustave, à Lyon, le 4 juin 1784, ils entonnent aussitôt un air d'opéra : « Quoi, voyager dans les airs ! » Le vol dure quarante-cinq minutes et laisse les spectateurs rêveurs. À quels transports le voyage a-t-il porté le couple réuni ?

Dans leur cavalcade, les romans de Lesuire imaginent tout un peuple installé dans les airs. Le héros du *Petit-fils d'Hercule*, roman anonyme de 1784, n'y va pas par quatre chemins quand il offre ses services aux femmes argentées. Sujet précieux, ponctuel et réglé – « cinq louis par coup, souper, liqueur, chocolat à discrétion » –, le fouteur à la mode est reconnaissant à celles qui d'un coup de langue le font partir et le « lancent en l'air comme un ballon aérostatique ». Vaillant à l'exercice, le champion connaît sa gloire au terme du voyage qui le conduit de Paris à Saint-Pétersbourg. L'impératrice l'y nomme vice-roi d'Orel, à charge de répandre dans le pays une fureur érotique qui augmentera la population. Les moyens lui sont donnés : après avoir fait venir de Paris actrices et filles du monde pour allumer les désirs, le nouvel Hercule commande douze ballons à Jacques Charles !

C'est ainsi désormais qu'il rejoint ses conquêtes, dirigeant le globe à son gré, s'arrêtant aux balcons pour enlever les belles « sur les ailes de l'amour ». Parents et maris se plaignent en vain de la machine infernale.

Hercule a trouvé son objet et fait l'amour en ballon, faisant corps avec lui.

Fureurs, extases, soupirs se confondent. À travers l'invention du ballon, c'est le transport amoureux qui se trouve couronné.

Le transport continue. *Dans* The Band Wagon *de Vincente Minnelli (1953), Fred Astaire et Cyd Charisse éblouissent New York avec leur pas de danse. Le film s'achève. Central Park se replie dans la nuit. Le noctambule appelle un fiacre et jette au cocher :* «Leave it to the horse. »

Le rêve se poursuit.
C'est le bonheur.

Le Cabinet des lettrés

Ceux qui aiment ardemment les livres constituent sans qu'ils le sachent une société secrète. Le plaisir de la lecture, la curiosité de tout et une médisance sans âge les rassemblent.

Leurs choix ne correspondent jamais à ceux des marchands, des professeurs ni des académies. Ils ne respectent pas le goût des autres et vont se loger plutôt dans les interstices et les replis, la solitude, les oublis, les confins du temps, les mœurs passionnées, les zones d'ombre.

Ils forment à eux seuls une bibliothèque de vies brèves. Ils s'entrelisent dans le silence, à la lueur des chandelles, dans le recoin de leur bibliothèque tandis que la classe des guerriers s'entre-tue avec fracas et que celle des marchands s'entre-dévore en criaillant dans la lumière tombant à plomb sur les places des bourgs.

Derniers titres parus

Anonyme japonais
Voyage dans les provinces de l'Est

Tertullien
Du sommeil, des songes, de la mort

Henri Focillon
Lettres d'Italie

Jean-Charles Moreux
Histoire de l'architecture

Philippe Pons
Macao

Pierre Herbart
À la recherche d'André Gide

Sénèque et saint Paul
Lettres

Massin
De la variation

Madame d'Abrantès
Une soirée chez Madame Geoffrin

Baltasar Gracián
Le Héros

Jean Genet
Lettres au petit Franz

Pierre Herbart
Contre-ordre
On demande des déclassés

Gérard Macé
Un détour par l'Orient
Colportage III

Jacques Drillon
Les gisants

Patrick Mauriès
Quelques cafés italiens

Jérôme Prieur
Proust fantôme

Pierre Klossowski
L'Adolescent immortel

Paul Deussen
Souvenirs sur Friedrich Nietzsche

Jacques-Alain Miller
Un début dans la vie

Andrea Camilleri
Indulgences à la carte
Un massacre oublié

Gérard Macé
Le goût de l'homme

Liliana Magrini
Carnet vénitien

Julius von Schlosser
Objets de curiosité

La mère du révérend Jôjin
Un malheur absolu

Patrick Wald Lasowski
Le Traité des mouches secrètes

Georg Simmel
Le cadre et autres essais

Ferdinand von Saar
Le Château de Kostenitz

Louise de Vilmorin/Jean Cocteau
Correspondance croisée

François de La Mothe Le Vayer
*Petit traité sceptique sur cette commune
façon de parler « n'avoir pas le sens commun »*

Edward Gorey
Le Buste Sans Tête

Charles Nodier
Franciscus Columna

Champfleury
L'homme aux figures de cire

Sir Thomas Browne
*Les Urnes funéraires
Quatre animaux fabuleux*

Georg Simmel
La forme de l'histoire et autres essais

Composition : Daniel Collet, Paris
Achevé d'imprimer
par l'Imprimerie Floch
à Mayenne le 14 octobre 2004
Dépôt légal : octobre 2004
Numéro d'imprimeur : 61233
ISBN 2-07-077251-9 / Imprimé en France

131704